Y0-CBI-372

© 2005 Baumhaus Buchverlag GmbH Frankfurt am Main
Lektorat: Gabi Strobel
Satz: Jutta Hohl-Wolf

ISBN 3-8339-0105-5

Alle Rechte vorbehalten

Gesamtverzeichnis schickt gern: Baumhaus Verlag,
Juliusstraße 12, D-60487 Frankfurt am Main
http://www.baumhaus-verlag.de

5 4 3 2 1 05 06 07 08 2009

Klaus Baumgart

Lauras erste Übernachtung

Text von Cornelia Neudert

Wichtige Pläne

„Was wollen wir bei deiner Tante denn alles machen?“, fragt Laura.
Sie sitzt mit ihrer Freundin Sophie in ihrem Zimmer. Laura hat ein Blatt Papier vor sich liegen. Oben an den Rand hat sie geschrieben: „Übernachtungs-Plan-Liste“.
Laura fährt nämlich morgen zusammen mit Sophie zu Sophies Tante Jenny ans Meer.
Laura hat noch nie ohne Mama und Papa und ihren kleinen Bruder Tommy irgendwo übernachtet. Deshalb will sie alles möglichst gut planen.

Sophie holt tief Luft, dann fängt sie an:
„Also abends bleiben wir auf jeden Fall ganz lange auf, bis Mitternacht! Und dann machen wir ein Mitternachtsfest und essen ganz viele Kekse und trinken Kakao! Und nachmittags am Strand können wir eine Sandburg bauen und auf jeden Fall müssen wir Muscheln sammeln und wenn es warm genug ist, baden wir natürlich und wir können Krabben beobachten, ich weiß einen Platz, wo immer welche sitzen …“
„Stopp, stopp“, ruft Laura. „So schnell kann ich doch nicht schreiben!“
Also fängt Sophie an, ihr alles noch mal langsam zu diktieren.
Da kommt Tommy herein.
„Was macht ihr denn da?“, fragt er.
„Wir planen unsere Übernachtung“, erklärt Laura. „Das ist wichtig, damit wir nichts vergessen!“

Tommy hört eine Weile still zu, was Sophie alles aufzählt. Dann sagt er: „Ich will auch ein Mitternachtsfest feiern und am Strand Muscheln sammeln!“
„Das geht nicht“, sagt Sophie. „Du bist ja nicht dabei!“
„Ich will aber dabei sein!“, mault Tommy.
Laura stöhnt. Manchmal – findet sie – ist ihr kleiner Bruder eine große Nervensäge.

Vor allem jetzt, wo sie so wichtige Dinge mit Sophie zu besprechen hat.
„Für so was bist du doch noch viel zu klein", sagt sie. „Bis Mitternacht wach bleiben – das schaffst du doch gar nicht!"
Da schreit Tommy wütend: „Natürlich schaff ich das! Immer dürft ihr alles und ich darf nichts! Das ist gemein!"
Damit stampft er aus dem Zimmer und knallt die Tür hinter sich zu.
„Oh je", meint Sophie.
Laura zuckt mit den Schultern.
„Macht nichts", sagt sie.
„Der beruhigt sich schon wieder."

Aber später, als Sophie nach Hause gegangen ist, geht Laura zu Tommy. Er sitzt in seinem Zimmer und spielt mit seinem Spielzeugbagger. Als Laura hereinkommt, dreht er ihr den Rücken zu.
„Sei doch nicht beleidigt, Tommy!“, sagt Laura.
Tommy schnieft und sagt trotzig:
„Ich bin nicht beleidigt. Ihr seid gemein! Ich will auch ein Mitternachtsfest haben!“
Laura überlegt.
„Weißt du was?“, sagt sie dann.

„Du und ich, wir machen einfach heute ein Mitternachtsfest für dich!“

Tommy dreht sich zu Laura um. Er schnieft noch mal, zur Sicherheit.

Dann fragt er: „Heute? Ganz allein für mich?“

Laura nickt.

„Mit Schokokeksen?“

Laura nickt wieder.

„Gut“, sagt Tommy und sieht plötzlich viel fröhlicher aus.

Laura läuft gleich in die Küche und besorgt Schokokekse und Kakao. Tommy holt ein Tablett. Damit bringen sie alles in sein Zimmer.

„Wann geht es denn los?“, fragt Tommy.

„Na, um Mitternacht!“, antwortet Laura.

„Ein Mitternachtsfest ist immer um Mitternacht.“

„Ach so“, sagt Tommy und gähnt.

Ein Mitternachtsfest für Tommy

Zum Abendessen gibt es Spiegelei mit Kartoffeln und Spinat.
„Hast du für morgen alles eingepackt?“, fragt Mama Laura.
„Ja“, sagt Laura. „Ich habe meine Malsachen und meine Taschenlampe und sogar einen Schraubenzieher, weil Papa doch immer sagt, so was muss man dabeihaben.“
„Hast du auch ein Handtuch?“, fragt Mama.
„Ja“, sagt Laura.
„Und deinen Badeanzug?“
„Natürlich!“, sagt Laura.

„Und deinen
Schlafanzug?“
„Hm.“ Laura
überlegt.
„Ich glaube
schon“, sagt sie.
„Und deine
Regenjacke, falls es regnet?“,
fragt Mama weiter. Laura überlegt wieder.
„Ich bin nicht sicher“, sagt sie dann.
Mama seufzt.
„Kannst du später noch mal nachsehen?“,
fragt sie Papa. Sie hat es nämlich eilig, weil
sie heute mit ihrem Cello noch bei einem
Konzert spielen muss.

Papa nickt: „Ja, mach ich."
Tommy mantscht mit der Gabel seine Kartoffeln zu Brei und sagt: „Laura und ich feiern heute ein Mitternachtsfest!"
Papa zieht die Augenbrauen nach oben.
„So, so", sagt er. „Aber Laura muss doch morgen früh aufstehen für die Fahrt!
Und du siehst auch schon ganz müde aus, Tommy."
Tommy hört auf zu mantschen.
„Aber du hast es mir versprochen, Laura!", sagt er.
Laura nickt. Aber sie ist sich nicht mehr sicher, ob das ein so guter Einfall war.

Es ist nämlich noch nicht einmal acht Uhr.
Noch mehr als vier Stunden bis Mitternacht!
„Vielleicht könntet ihr das Fest ein bisschen
früher feiern?“, meint Mama.
Aber Tommy ruft: „Nein!
Ein Mitternachtsfest
ist immer um
Mitternacht!“

Da hat Laura eine Idee.
Als Tommy nach dem Abendessen im Schlafanzug auf seinem Bett sitzt, kommt Laura zu ihm ins Zimmer. In der Hand trägt sie ihren Wecker. Sie hat die Zeiger verdreht, sodass sie beide auf der Zwölf stehen.
„Tommy! Es ist Mitternacht!“, ruft sie. „Unser Fest fängt an!“
„Wirklich? Jetzt schon?“, fragt Tommy.
„Ja“, nickt Laura und zeigt ihm den Wecker.
„Gut“, sagt Tommy. „Dann kann ich ja jetzt einen Schokokeks haben!“
Laura setzt sich zu ihm aufs Bett und sie essen beide Kekse, trinken Kakao und feiern, bis Tommy auf einmal ganz schrecklich gähnen muss. Da sagt Laura ihm „Gute Nacht“ und Tommys Mitternachtsfest ist zu Ende.

Papa hat inzwischen nachgesehen, ob Laura auch alles eingepackt hat, und hat ihre Kleider für morgen auf den Stuhl gelegt.
Als Laura ins Zimmer kommt, sieht sie die Sachen und ihr Herz fängt an zu klopfen.
Plötzlich hat sie ein bisschen Angst. Sie muss unbedingt noch mit ihrem Stern reden, ehe sie schlafen geht.

Den Stern kennt sie schon lange.
Er ist ihr Freund.
Laura öffnet das Fenster und schaut hinauf in den Nachthimmel. Da oben leuchtet ihr Stern hell zwischen den anderen Sternen.
Laura winkt ihm zu.
„Hallo“, ruft sie leise. Der Stern winkt mit einem Lichtstrahl zurück.
„Stell dir vor!“, sagt Laura. „Ich übernachte mit Sophie bei ihrer Tante! Ganz alleine! Sophies Tante wohnt am Meer. Da können wir Muscheln sammeln und baden und vielleicht sogar Krabben beobachten! Und um Mitternacht feiern wir dann ein Fest, Sophie und ich. Das gehört nämlich zu einer Übernachtung dazu.“

Der Stern sprüht ein paar Funken.
„Ja, ich freu mich schon“, antwortet Laura.
„Morgen kommt Sophies Mutter ganz früh
und fährt uns hin ... Aber“, fügt sie hinzu,
„ein bisschen fürchte ich mich auch, so
ohne Mama und Papa.“
Da strahlt der Stern, so hell er kann, und
Laura wird wieder etwas mutiger.
„Aber du bist ja da“, sagt sie.
Glücklich schaut sie zu ihrem Stern hinauf,
der am Himmel für sie leuchtet.

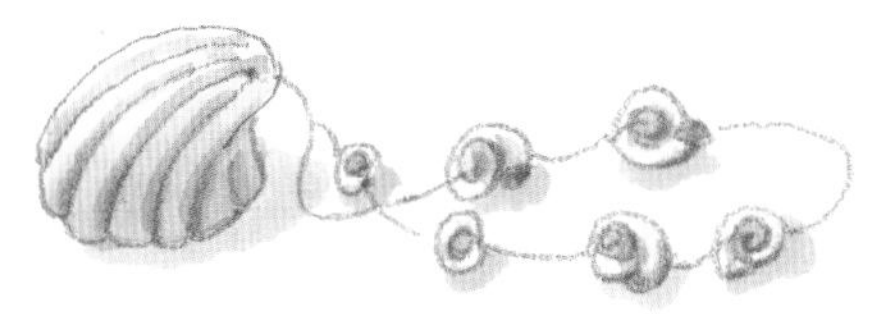

Am Meer

Am nächsten Morgen holen
Sophie und Sophies
Mutter Laura ab.
Laura gibt Mama
und Papa einen
Kuss und zu Tommy
sagt sie:
„Ich bring dir eine
ganz tolle
Muschel mit!“

Dann steigt sie ins Auto und es geht los.
Die Fahrt dauert lange. Laura und Sophie unterhalten sich, spielen ein paar Spiele und essen alle ihre Reisebrote auf. Schließlich sagt Sophies Mutter: „Jetzt müsste man bald das Meer sehen können."

Da recken Laura und Sophie die Hälse und schauen und schauen, bis plötzlich –
„Das Meer!“, schreien sie beide gleichzeitig.
Das Wasser glitzert und funkelt.

„Schön!“, denkt Laura. „Wie ganz viele Sterne.“
Als sie bei Tante Jennys Haus ankommen,
steht Tante Jenny schon vor der Tür und
erwartet sie.

„Hallo Sophie! Hallo Laura!", ruft sie und winkt. Sie sieht lustig aus, findet Laura. Laura gibt Tante Jenny die Hand und sie gehen ins Haus.

Sophies Mutter, die nicht so viele Reisebrote abbekommen hat, isst etwas und unterhält sich kurz mit Tante Jenny.
Dann verabschiedet sie sich: „So, ich fahre jetzt nach Hause. Morgen hole ich euch wieder ab. Viel Spaß, ihr beiden!"

Plötzlich bekommt Laura wieder so ein ängstliches Gefühl. Wenn Sophies Mutter wegfährt, bleibt ihr nichts anderes übrig: Sie muss hier bleiben! Ohne Mama und Papa!
Doch da schlägt Tante Jenny vor: „Und wir drei gehen an den Strand. Was haltet ihr davon?"
An den Strand will Laura natürlich gerne.
Und schließlich ist Sophie auch noch da.
Die hat auch keine Angst. Also sagt Laura: „Ja! Ich will für Tommy eine Muschel suchen!"

Sophies Mutter fährt weg und Laura, Sophie und Tante Jenny gehen einen kleinen, sandigen Weg hinunter zum Strand.
Das Meer glitzert in der Sonne. Der Wind bläst darüber, sodass kleine Wellen entstehen.
Obwohl das Wasser ziemlich kühl ist, springen Laura und Sophie sofort hinein und spritzen sich gegenseitig nass.

Dann laufen sie den Strand entlang und suchen Muscheln.

Es gibt sie in allen Farben und Formen.
Sophie gefallen die runden blauen am besten,
Laura die gerippten rosafarbenen.
Für Tommy findet sie ein großes leeres
Seeschneckenhaus. Wenn man es
ans Ohr hält, kann man darin
das Meer rauschen hören.
„Das gefällt Tommy bestimmt",
sagt Laura.
Und dann findet sie noch etwas
ganz besonders Tolles. Im seichten Wasser
sitzt auf einem Stein ein Seestern.
Er ist rot und hat fünf
Zacken.

„Genau wie mein Stern am Himmel“, denkt Laura. Sie und Sophie streicheln den Stern vorsichtig mit dem Zeigefinger.
Später, als sie müde sind und ganz durchgeblasen vom Wind, gehen sie zurück zu Tante Jennys Haus.
Laura und Sophie duschen, weil ihre Haut und ihre Haare vom Meersalz ganz klebrig sind.
Danach gibt es Abendessen. Und dann ruft Sophie: „Jetzt fängt unsere Übernachtung an!“

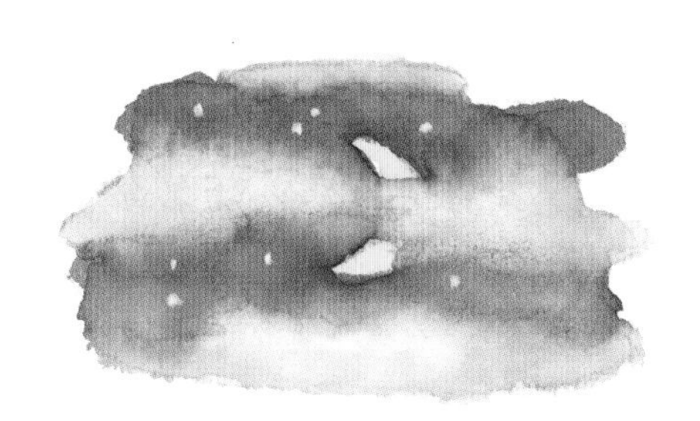

Gespenster

Das Zimmer, in dem Laura und Sophie übernachten sollen, ist ganz oben unter dem Dach. Deswegen hat es schräge Wände. In dem Zimmer stehen zwei Betten. Durch ein Fenster im Dach kann man in den Himmel sehen. Der ist inzwischen dunkel geworden. Laura späht nach ihrem Stern, aber alles ist voller Wolken. Ob ihr Stern sie eigentlich trotz der Wolken finden kann?
„Sieht nach schlechtem Wetter aus", meint Tante Jenny. Sie hat ein Tablett für Lauras und Sophies Mitternachtsfest nach oben gebracht.

Auf einem kleinen Tisch stellt sie es ab.
Als Sophie sieht, was ihre Tante alles mitgebracht hat, ruft sie: „Selbstgemachte Waffeln! Super!“
Laura und Sophie nehmen sich jede gleich eine Waffel, obwohl noch lange nicht Mitternacht ist. Sophie sagt mit vollem Mund: „Dasch schind die beschten Waffeln auf der Welt!“
Tante Jenny lacht und sagt: „Ich bin unten in meinem Arbeitszimmer. Wenn irgendwas ist, kommt einfach zu mir.“
Dann geht sie und Laura und Sophie fangen an, die Muscheln, die sie gesammelt haben, auf dem Bett auszubreiten.
„Schau, das ist meine schönste“, sagt Laura und hält eine Muschel hoch.
„Und das ist meine schönste“, sagt Sophie und zeigt Laura eine ihrer Muscheln.

Sie hat oben ein kleines Loch, und Laura sagt:
„Da kannst du eine Schnur durchziehen und
sie dir um den Hals hängen!“
Später holt Laura ihre Malsachen heraus
und sie malen. Laura malt ein
Bild mit ganz vielen kleinen
Seesternen.

Währenddessen wird der Wind, der ums Haus fegt, immer stärker.
„Hu! Das klingt ja richtig unheimlich“, sagt Sophie. „Der heult wie ein Gespenst!“
Laura zieht sich ihre Bettdecke über den Kopf und ruft: „Ich bin auch ein Gespenst! Hu! Huuu!“
Sophie kichert und zieht sich ebenfalls ihre Bettdecke über den Kopf. Und damit es so richtig geisterhaft wird, knipsen sie das Licht aus und Laura schaltet ihre Taschenlampe an.

„Huuuu! Huuuuuuuu!!“
Mit großem Geheule springen das Laura-Gespenst und das Sophie-Gespenst auf den Betten herum. Aber nach und nach wird der Schein von Lauras Taschenlampe immer schwächer und erlischt schließlich ganz.
„Was ist denn los?“, fragt Sophie.
„Die Batterie ist leer“, sagt Laura.
Ganz außer Atem sitzen die beiden auf den Betten. Erst jetzt, als sie still sind, hören sie, dass es draußen zu regnen begonnen hat. Die Tropfen, die auf das Dachfenster klopfen, klingen – tapp, tapp – als würde jemand hereinkommen wollen. Und der Wind heult und faucht. Sophie knipst schnell das Deckenlicht an und Laura ist froh, dass es wieder hell ist.
„Sollen wir vielleicht mal mit unserem Mitternachtsfest anfangen?“, fragt Sophie.

Laura nickt.
Aber gerade, als sie nach einer Waffel greifen will, flackert das Licht plötzlich und geht aus.
„He, Sophie!", sagt Laura halb ärgerlich, halb ängstlich.
„Das ist nicht lustig! Mach das Licht wieder an!"
Aber Sophie antwortet: „Ich hab's doch gar nicht ausgemacht!"
Ihre Stimme zittert ein bisschen.
Sophie sucht im Dunkeln nach dem Lichtschalter.
Aber so viel sie auch daran knipst: das Licht bleibt aus.

„Wa-wahrscheinlich ist die Glühbirne kaputt", stottert Sophie. „Ich geh mal zu Tante Jenny und sag Bescheid."
„Ja, gut", murmelt Laura.

Sie hört, wie Sophie sich langsam durchs Zimmer tastet und die Treppe nach unten tapst. Dann hört sie nur noch die unheimlichen Geräusche von Regen und Wind.
Um sie herum ist alles dunkel.
Und plötzlich hat Laura Angst.
„Sophie!", flüstert sie. „Sophie, ich will mitkommen!"
Aber Sophie ist weg. Und Mama ist weg.
Und Papa ist weg. Nicht einmal Tommy ist da.
Laura ist allein. Allein mit den Gespenstern, die ans Fenster klopfen, die heulen und fauchen und die hereinwollen.

Sternenlicht

Laura starrt mit aufgerissenen Augen in die Dunkelheit. Neben ihr liegt die Taschenlampe. Aber die nützt ihr nichts mehr. Die Batterie ist ja leer. Sie kann gar nichts machen. Nur warten.

Ihr Herz klopft wie wild. Stocksteif sitzt sie da und horcht auf das Getöse und Gejaule. Und plötzlich kommt ihr ein schrecklicher Gedanke. So schrecklich, dass ihr Herz einen entsetzten Sprung macht. Was ist, wenn Sophie und ihre Tante nicht wiederkommen?

Laura spürt, wie ihr Hals eng wird.

Da kommt es ihr mit einem Mal so vor, als würde es heller werden.

Ist da nicht ein schwacher Lichtschein?

Wo kommt der her? Von oben?

Laura hebt den Kopf. Da sieht sie vor dem Dachfenster – ihren Stern!

Er winkt ihr mit einer Zacke zu.
Der Wind weht ihn hin und her, aber er hält sich mit einer anderen Zacke am Fensterrahmen fest.

Laura stellt sich aufs Bett und öffnet das Fenster. Mit einem Windstoß und ein paar Regentropfen kommt der Stern zu ihr ins Zimmer gefegt.
Jetzt ist es nicht mehr dunkel, sondern alles ist voll hellem Sternenlicht.
Laura atmet auf.
„Du bist wirklich gerade rechtzeitig gekommen“, sagt sie.
Der Stern schlägt ein paar Purzelbäume in der Luft und tanzt im Zimmer umher. Laura lacht und tanzt mit. Wieso hat sie sich vorhin nur so gefürchtet? Es ist doch alles in Ordnung!

Jetzt schwebt der Stern neugierig zwischen Lauras Sachen umher. Laura zeigt ihm die Muscheln und erzählt vom Strand und vom glitzernden Meer. Der Stern findet Tommys Seeschneckenhaus besonders interessant.
„Darin kann man das Meer rauschen hören“, sagt Laura. Sie hält es ihm hin und der Stern horcht.
Dann entdeckt er das Bild, das Laura gemalt hat. Laura zeigt ihm die Seesterne.
„Die leben unten im Meer, so wie du oben am Himmel wohnst“, erklärt sie ihm. Der Stern tippt auf die Sterne und wackelt dann mit seinen fünf Zacken.
„Stimmt!“, lacht Laura. „Die haben genauso viele Zacken wie du!“
Sie streichelt ihren Stern und flüstert: „Schade, dass du später, wenn Sophie zurückkommt, wieder wegfliegen musst.“

Laura seufzt tief. „Vielleicht könntest du dich ja unter meiner Bettdecke verstecken, damit sie dich nicht sieht? Ich glaube nämlich, ohne dich bekomme ich wieder Angst!“

Da fliegt der Stern hoch und schwebt kreuz und quer im Zimmer umher. „Was suchst du denn?“, fragt Laura.
Aber da hat der Stern schon genau das Richtige gefunden. Er schwebt unter den kleinen Tisch. Dort steht ganz hinten, in einer Ecke versteckt, eine alte Laterne. Der Stern tanzt um sie herum und winkt Laura zu.
„Was willst du denn?“, fragt sie neugierig und kniet sich neben ihn. „Soll ich sie aufmachen?“
Sie zieht die Laterne unter dem Tisch hervor und klappt sie auf.
Der Stern schüttelt mit einer seiner Zacken leuchtenden Sternenstaub in die Laterne.

Jetzt leuchtet die
Laterne mit schönem,
silbernen Licht.
„Oh! Danke!“, sagt Laura.

Da hört sie, wie ihr Name
gerufen wird: „Laura! Laura! – Keine Angst!
Wir sind gleich da!“
Das sind Sophie und ihre Tante!
Laura nimmt die Laterne und geht zur Tür.
Der Stern fliegt einen übermütigen Kreisel
und folgt ihr hinaus auf die Treppe.
Auf den oberen Stufen
bleibt Laura stehen und
lauscht.

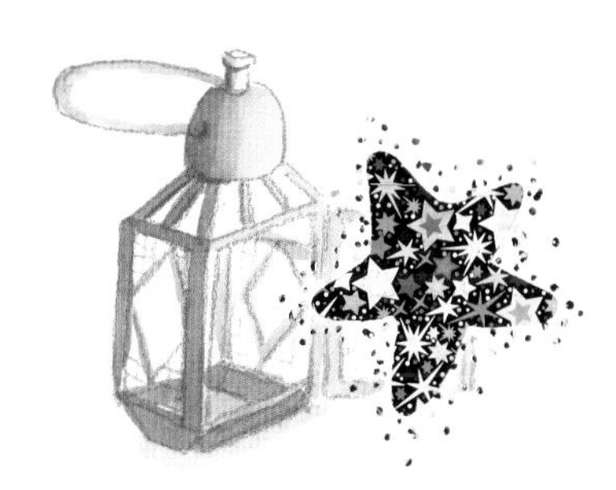

Sie hört, wie Sophie und ihre Tante von unten die Treppe heraufkommen. Bald werden sie bei ihr oben sein.
„Jetzt ist alles in Ordnung“, flüstert Laura ihrem Stern zu und nimmt ihn fest in die Arme. Als sie ihn loslässt, macht er einen Purzelbaum quer durchs Zimmer. Dann fliegt er durch das Fenster hinaus. Laura springt aufs Bett und winkt ihm nach, bis sie ihn nicht mehr sehen kann. Dann macht sie das Fenster zu.

Kurz darauf stehen endlich Sophie und Tante Jenny im Zimmer. Sie halten Kerzen in den Händen. Tante Jenny sagt: „Wir haben einen Stromausfall! Alle Lichter im Haus sind aus. Tut mir Leid, dass es so lange gedauert hat! Wir mussten erst Kerzen suchen.“
Sophie legt den Arm um Laura und sagt: „Hoffentlich hast du dich nicht gefürchtet?“

Laura antwortet: „Zuerst schon ein bisschen.
Aber jetzt nicht mehr. Schau!“
Sie hält die Laterne hoch, damit Sophie und
Tante Jenny sie sehen können. Tante Jenny
lacht. „Diese Laterne habe ich seit Ewigkeiten
nicht mehr benutzt!“, sagt sie.

„Ich finde, auf den Schreck müssen wir jetzt was essen. Wer ist für Schokoladeneis?“
Laura und Sophie sind beide sehr dafür. Also holt Tante Jenny Eis und anschließend sitzen sie alle drei auf dem Bett und feiern ihr Mitternachtsfest mit Waffeln, Saft und ganz viel Schokoladeneis. Die Laterne steht neben ihnen und glitzert und strahlt.
Später, als Laura immer wieder die Augen zufallen und Sophie längst eingeschlafen ist,

bläst Tante Jenny das Licht in der Laterne aus und schleicht nach draußen. Aber kaum hat sie die Tür hinter sich zugemacht, fängt der Sternenstaub wieder an zu leuchten. „Sternenlicht“, denkt Laura froh. Dann schläft auch sie ein.

Sternenstaub

Am nächsten Tag ist der Stromausfall zu Ende. Das elektrische Licht funktioniert wieder, aber jetzt braucht es keiner mehr.

Nach dem Frühstück laufen Laura und Sophie sofort an den Strand. Tante Jenny hat nämlich zwei bunte Drachen. Die lassen sie steigen. Lauras Drachen fliegt wunderschöne Bögen und Kreise.
„Das gefällt meinem Stern sicher auch“, denkt Laura und als Sophie einmal nicht zu ihr herüberschaut, winkt sie in den Himmel.

Denn jetzt weiß sie ja, dass ihr Stern sie auch durch die Wolken sehen kann.
Als Sophies Mutter kommt, um sie abzuholen, findet Laura, dass es eigentlich noch viel zu früh ist, um nach Hause zu fahren.
Sie umarmt Tante Jenny zum Abschied und verspricht ihr, dass sie bald wiederkommen wird.
Und Tante Jenny verspricht ihr, dass sie bis dahin Taschenlampen und Ersatzbatterien kaufen wird, falls es wieder einen Stromausfall gibt.

Am Abend sitzt Laura mit Papa und Mama und Tommy am Küchentisch und breitet ihre Muscheln vor ihnen aus.

Dann berichtet sie, was sie alles erlebt hat:
„Wir waren im Meer baden und haben Muscheln gesammelt und einen Seestern gestreichelt“, erzählt sie.
„Und nachts war dann ein Sturm, und dann war ein Stromausfall und es war total dunkel und das Licht hat nicht mehr funktioniert“, erzählt sie.
„Und heute Vormittag haben wir am Strand Drachen steigen lassen, weil immer noch so ein Wind war“, erzählt sie weiter.

Laura kommt sich vor, als wäre sie von einer ganz langen, abenteuerlichen Reise zurückgekehrt. Sie schenkt Tommy die Seeschnecke, die sie für ihn gefunden hat, und alle halten sie ans Ohr und lauschen.
„So klingt das Meer“, erklärt Laura.

„Hast du denn gar keine Angst gehabt bei dem Stromausfall?“, fragt Tommy und sieht sie mit großen Augen an.
„Ich war ja zum Glück nicht alleine“, sagt Laura und muss an ihren Stern denken.

Zum Schluss zieht sie das Bild heraus, das sie gemalt hat. Sie will den anderen zeigen, wie Seesterne aussehen. Da merkt sie, dass auf dem Bild jetzt alle Sternchen glitzern – vom Sternenstaub, wo der Himmelsstern sie angetippt hat …

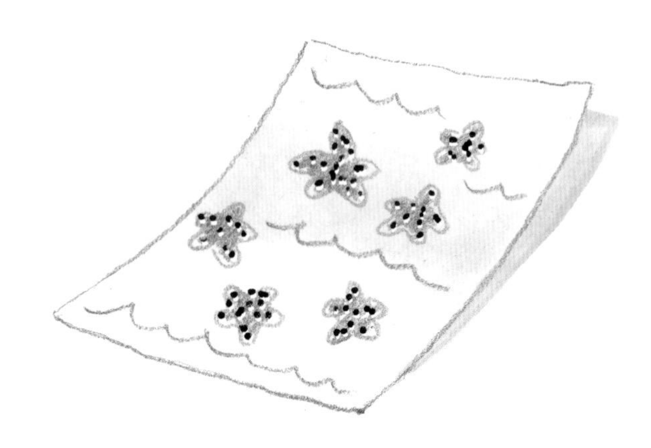

Klaus Baumgart,
Jahrgang 1951, gehört mit seinen weltweit über 4 Millionen verkauften Büchern zu den international erfolgreichsten Bilderbuchkünstlern.
Der renommierte Grafikdesigner erhielt zahlreiche internationale Preise und Auszeichnungen. Zu seinem Gesamtwerk gehören neben der erfolgreichen Reihe „Lauras Stern“ auch die beliebten „Tobi“-Bücher über das kleine grüne Ungeheuer. Der Zeichentrickfilm „Lauras Stern“ lief 2004 sehr erfolgreich in den deutschsprachigen Kinos. 2005 startet er im Ausland.

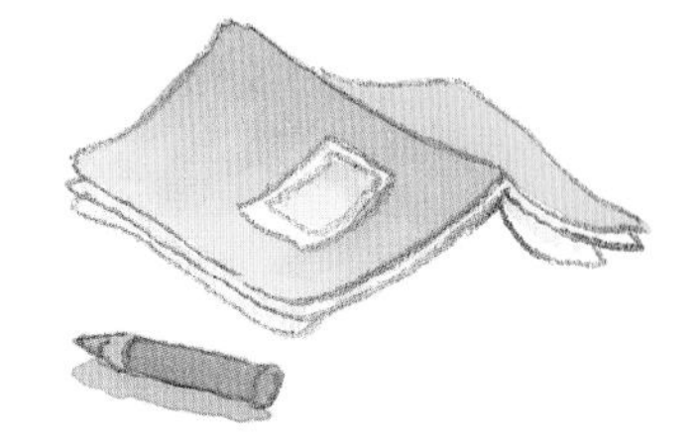

Cornelia Neudert wurde 1976 in Eichstätt geboren. Sie studierte deutsche und englische Literaturwissenschaft sowie Kunstgeschichte in München und Pisa. Seit einigen Jahren macht sie beim Bayerischen Rundfunk Radioprogramm für Kinder und denkt sich viele Rätsel und Geschichten aus. In Zusammenarbeit mit Klaus Baumgart textete sie den Erstleser „Laura kommt in die Schule“ und „Das große Lauras Stern-Buch“. Ihre beiden Kinderromane „Der geheimnisvolle Drachenstein“ und „Das geheimnisvolle Drachentreffen“ sowie der Erstleser-Band „Ein Herz für Vampire“ erschienen alle im Baumhaus Verlag.